www.ingramcontent.com/pod-product-compliance
Lightning Source LLC
Chambersburg PA
CBHW081003170526
45158CB00010B/2890
* 9 7 8 1 0 7 0 2 9 8 5 5 9 *